LES COMBINAISONS ALIMENTAIRES

simples et efficaces

Table des matières

Bibliographie

Chaput, Marcel, Ph.D., N.D., «L'Ecole de la santé», Editions du Jour.
Couillard, P., Pirlot, P., Demers, J.-M., Desmarais, A., Drainville G., «L'Homme dans son milieu», Editions Guérin.
Jackson, Robert G., M.D., «Ne Plus jamais être malade», Editions Albert-Miller.
Shelton, M. Herbert, «Les Combinaisons alimentaires et votre santé», collection «Le Système hygiéniste», Courrier du livre, quatrième édition, traduction 1968.

LES COMBINAISONS ALIMENTAIRES

Lucile Martin Bordeleau

lazer

A mon mari qui m'a initiée aux sciences naturistes, à mes enfants et à toutes les personnes qui font, de l'alimentation, le point de départ d'une bonne santé physique et mentale.

Je remercie sincèrement Micheline Ebacher, naturopathe, membre du Collège des naturopathes du Québec à Montréal, qui m'a aidée à dactylographier cet ouvrage, sans quoi celui-ci n'aurait jamais vu le jour.

Les Combinaisons alimentaires simples et efficaces

ISBN: 2-920878-00-X

Dépôt légal, 4e trimestre 1986
Bibliothèque nationale du Québec
Imprimé au Canada/Printed in Canada
Septembre 1986

LAZER est une collection de 2439-0700 Québec inc.

Lucile Martin Bordeleau
bureau de consultation (514) 688-8205

Préface

Je connais Lucile Martin Bordeleau depuis au moins une trentaine d'années. Son enthousiasme ne s'est jamais démenti en ce qui a trait à son appui face aux recherches et aux expériences professionnelles de son mari, Gilles Bordeleau, naturopathe de grande connaissance et de haute conscience. A chaque rencontre, cela m'impressionnait et une grande ferveur m'animait à mon tour.

Elle signe aujourd'hui un livre précieux de renseignements pratiques, qu'il faut suivre à la lettre pour parvenir à une transformation physique et psychique que le temps accentue sans cesse.

C'est une éducation à se donner, une habitude à installer et à maintenir dans la pratique quotidienne de façon permanente.

Tant d'informations et de démonstrations facilitent aujourd'hui la récolte d'herbages à tisanes qui deviennent des breuvages réconfortants et salutaires. On en sème dans les boîtes à fleurs, dans des allées de jardins, qu'il s'agisse de plantes annuelles ou vivaces, elles sont à la portée de la main et de la tisanière.

Entrez dans la ronde et vous n'en sortirez plus. Et ce sera tant mieux pour votre bonheur acquis par une bonne santé, la bonne humeur et la joie de vivre. On n'attend pas les temps meilleurs, on les fait!

Françoise Gaudet Smet

Chère amie et cher ami,

Bonjour! Je ne vous connais pas pour la plupart d'entre vous mais je me permets quand même de vous appeler mes amis, car nous avons une certaine affinité, puisque vous lisez ce volume, c'est que nous avons une certaine affinité, et au moins une chose en commun: le désir d'être en bonne forme, et physique et mentale, les deux aspects ne pouvant se dissocier l'un de l'autre.

«Mens sana in corpore sano»
«Une âme saine dans un corps sain»

Eh oui, que de personnes n'utilisent que cinquante pour cent et parfois moins de leur potentiel intellectuel et physique parce qu'elles sont aux prises avec du rhumatisme, du psoriasis, de l'arthrite, de la sclérose en plaques, des migraines, etc... En effet, quel piètre rendement donne-t-on quand on fonctionne toujours avec des maux de tête, d'estomac ou d'autres affections! A quelle misérable vie est-on voué? Dommage que les méthodes naturelles de santé, et plus spécialement l'alimentation naturelle selon les combinaisons alimentaires, se soient pas mieux connues; car elles seules peuvent donner et redonner toute la vigueur nécessaire pour mener une vie pleine, intéressante et débordante de joie.

Puissent ces pages vous aider à garder ou à retrouver la santé et la joie de vivre!

A toutes mes lectrices et à tous mes lecteurs,
je souhaite une bonne alimentation et, par le fait même,
une bonne santé!

Lucile Martin Bordeleau,
Conseillère en alimentation.

Introduction

Je vous offre, chers lecteurs, un livre de conseils simples et pratiques qui aidera celles et ceux qui veulent connaître et manger selon les bonnes combinaisons alimentaires ; car je crois sincèrement qu'il ne suffit pas de se nourrir d'aliments dits «naturels» pour avoir une santé parfaite. De bons aliments mal combinés, mal agencés, vous apporteront au contraire des problèmes plus ou moins graves.

Bien sûr, ce bouquin ne se veut pas parfait mais quiconque l'adoptera, améliorera de beaucoup sa santé ou la conservera, s'il n'est pas malade présentement.

Tout en donnant quelques recettes, j'ai tenu avant tout à vous dire le pourquoi des choses. De cette manière, vous saurez d'où viennent vos malaises et vous pourrez y remédier.

Ce livre en est un de vulgarisation des facteurs naturels de santé. C'est un résumé de beaucoup de recherches et de mises en applications.

Tableau des six catégories d'aliments

Les hydrates de carbone ou glucides	*sont*	*sucres et sirops*	*Fruits et légumes, miel, sucre brut, sucre blanc, cassonade, sucre de fruit, sucre de canne, sirop de maïs, sirop d'érable, etc.*
		farineux	*Toutes les céréales, c'est-à-dire les farines et leurs dérivés: farine de blé, de soya, de seigle, d'orge, de sarrazin, d'avoine, farine blanche, millet, semoule, pain, nouilles, pâtes italiennes, biscuits, gâteaux, céréales servies au petit déjeuner, riz, bulgur, pommes de terre et légumineuses.*
		les légumineuses	*Pois secs, pois chiches, lentilles, gourganes, haricots jaunes; fèves de toutes sortes: blanches, lima, rognons rouges, mung, etc, à l'exception de la fève de soya qui entre dans la catégorie des protéines.*
		les petits farineux	*Carottes, arachides, panais, navet, betteraves, maïs, citrouille.*
Protéines ou protides			*Viandes, oeufs, fromages, poissons, noix, fèves de soya, luzerne, tofu, avocat, olives noires; graines de tournesol, de sésame, de citrouille, de lin; champignons, etc. Les protéines complètes se retrouvent dans la viande, les oeufs, le poisson, la luzerne, la fève de soya et le lait humain.*
Lipides ou corps gras			*Les graisses, le beurre, le suif, l'huile, la crème et les margarines.*
Vitamines			*Les fruits, les légumes, les graines et leurs dérivés, le foie de poisson, le foie animal, le lait, le beurre, le jaune d'oeuf, etc.*
Minéraux ou oligo-éléments			*Les minéraux se retrouvent sensiblement dans les mêmes aliments que les vitamines.*
Eau			*La meilleure eau que l'on puisse boire est celle qui provient des fruits et des légumes qui contiennent toutes les vitamines et tous les minéraux naturels. Viennent ensuite, en ordre de qualité: l'eau distillée (par le procédé osmotique), l'eau de source, l'eau de puits et les eaux de surface traitées.*

Les six catégories d'aliments

Dans cette première partie, j'explique ce qu'est l'alimentation naturelle, le fonctionnement du système digestif et les combinaisons alimentaires. Nous allons ensemble démystifier ce mode de vie et cesser de penser que les naturistes sont des hurluberlus, des gens riches et oisifs ou des gens qui vivent comme des soeurs cloîtrées; en d'autres termes, des gens qui se privent beaucoup et qui ne mangent pratiquement rien de potable, rien de flatteur pour le palais. Dans la deuxième partie de ce livre, vous pourrez juger par vous-mêmes et découvrir les bienfaits d'une saine et douce alimentation, ainsi que la joie de vivre en santé.

Sans autre préambule, la définition de l'alimentation naturelle est l'art et la science de s'alimenter sainement afin de prévenir la maladie, de conserver sa santé et de la recouvrer si nous l'avons perdue. *S'alimenter sainement* signifie assurer quotidiennement à son organisme tous les éléments nutritifs essentiels à son bon fonctionnement. S'alimenter sainement veut dire aussi ne manger que des aliments bons pour la santé, des aliments ayant subi le moins de transformations possible, des aliments moins chimifiés, des aliments moins carencés et, autant que possible, des aliments de provenance organique. Par *provenance organique*, je veux dire des aliments tels que des fruits et des légumes provenant de sols enrichis par du compost, de l'humus ou autres engrais naturels; des viandes provenant d'animaux qui n'ont pas été vaccinés avec des hormones. Par exemples, les poulets nourris aux grains, les oeufs de poules nourries biologiquement (c'est-à-dire qu'elles picorent et vivent à l'air libre plutôt que d'être forcées à pondre jour et nuit dans des cages), des poissons provenant de lacs ou de cours d'eau non pollués, etc. Mais, me direz-vous, il est tout à fait impossible de vivre sainement de nos jours. C'est un peu vrai mais nous allons apprendre ensemble à vivre le mieux possible avec ce que nous avons. Nous devons apprendre à *faire des choix*.

Parlons maintenant des éléments nutritifs essentiels au bon fonctionnement de l'organisme. Toute alimentation équilibrée doit inclure les six catégories d'éléments que voici: les glucides ou hydrates de carbone, les protides ou protéines, les lipides ou corps gras, les vitamines, les minéraux ou oligo-éléments et enfin l'eau.

Reprenons chaque catégorie séparément. **Les glucides ou hydrates de carbone** sont des corps composés de trois éléments: le carbone, l'hydrogène et l'oxygène. Les glucides ou hydrates de carbone, pour être absorbés, doivent être hydrolysés par la digestion en sucres simples, s'ils ne le sont pas déjà. Je vous expliquerai ce phénomène un peu plus loin. Retenez simplement que le terme hydrolysé signifie «décomposé par l'eau».

Les protides ou protéines sont des corps quaternaires, c'est-à-dire composés de quatre éléments: le carbone, l'hydrogène, l'oxygène et l'azote. Ces quatres éléments sont associés de façon définie pour constituer des substances organiques simples: *les acides aminés*. Il existe vingt-trois types d'acides aminés différents servant à fabriquer un nombre incalculable de protéines rencontrées chez les êtres vivants. Parmi ces vingt-trois types, on en trouve entre huit et dix que l'on qualifie d'essentiels et qu'on appelle *pro-*

téines complètes.

Les lipides ou corps gras sont des corps ternaires, composés de carbone, d'hydrogène et d'oxygène.

Les vitamines sont des substances organiques indispensables que l'organisme ne peut synthétiser. Elles sont nécessaires afin de permettre une bonne utilisation des autres aliments.

Les minéraux sont des éléments indispensables à la constitution de certains tissus et au bon fonctionnement de l'organisme.

Les oligo-éléments sont des minéraux que l'on retrouve en infimes quantités, comme le zinc, le cobalt, l'iode, etc. Enfin, **l'eau** constitue la sizième catégorie. Il en sera question plus loin.

Peut-être vous êtes-vous déjà demandés comment se classifient les aliments? A prime abord, il faut retenir qu'il n'existe aucun aliment pur, c'est-à-dire qui ne soit composé que d'un seul élément. Il y a toujours un mélange de protéines, de lipides, d'hydrates de carbone, etc. Le principal composant de la denrée désigne sa classification. Par exemple, on classe la fève de soya parmi les aliments protéinés car son apport en protéines est plus important que celui de n'importe quel autre élément. En effet, la fève de soya contient trente-sept pour cent de protéines et vingt-quatre pour cent d'hydrates de carbone. D'autre part, le pain entre dans la catégorie des hydrates de carbone car sa teneur en amidon est plus élevée que celles de ses autres constituants.

Ensemble anatomique de l'appareil digestif

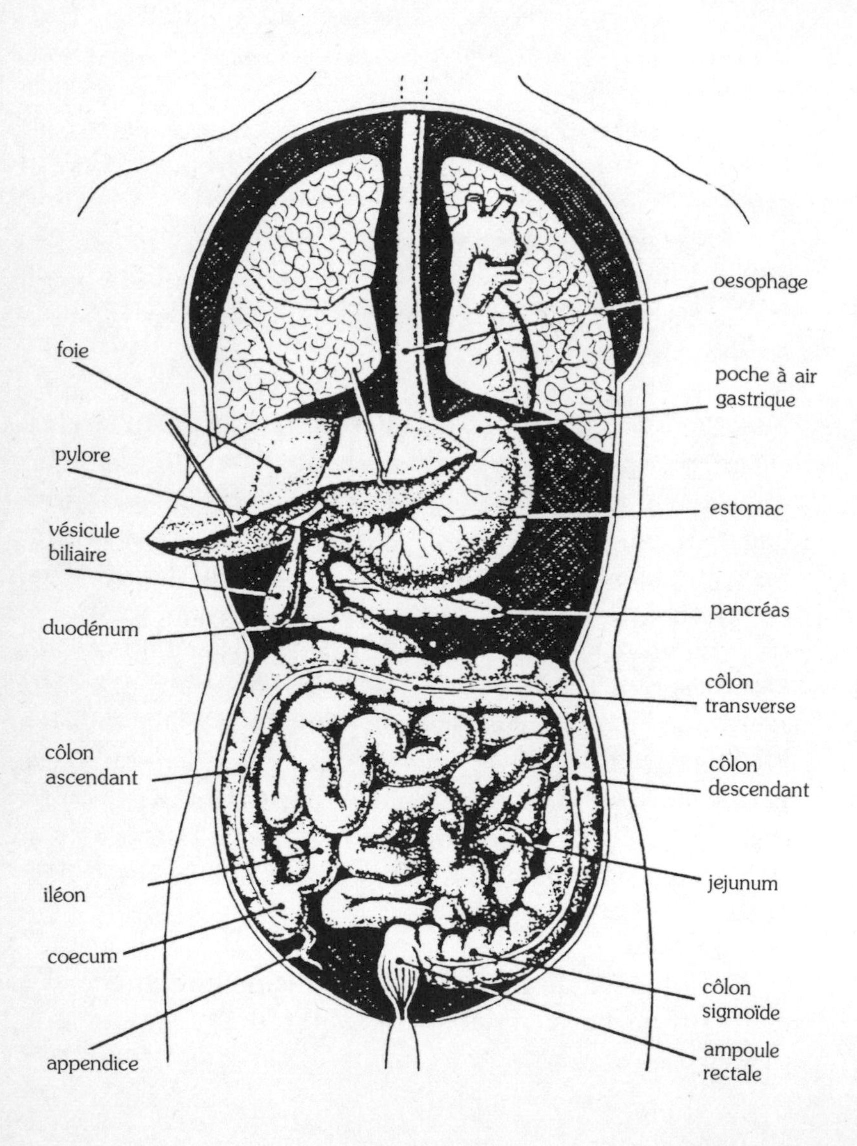

Le fonctionnement du système digestif.

A présent que vous connaissez les six catégories d'aliments que doit inclure une alimentation équilibrée, il vous faut connaître le fonctionnement du système digestif pour ensuite être en mesure de comprendre le bien-fondé des combinaisons alimentaires. En premier lieu, il faut savoir que l'appareil digestif comprend: 1- *un tube digestif* qui canalise les aliments de la bouche à l'anus;
2- *des glandes digestives* qui sécrètent les sucs digestifs destinés à la transformation des aliments. Ces sucs digestifs sont: la salive, le suc gastrique, le suc pancréatique et le suc intestinal. La bile n'est pas un suc gastrique parce qu'elle ne contient pas d'enzyme, bien qu'elle joue quand même un rôle dans la digestion.

Le tube digestif est constitué de la bouche, du pharynx, de l'oesophage, de l'estomac, de l'intestin grêle et du gros intestin ou côlon. L'anus est l'ouverture terminale. Le tube digestif est aussi tapissé intérieurement d'une membrane humide appelée muqueuse. Le tube digestif de l'être humain n'est pas un appareil tubulaire dans lequel la nourriture «entre par un bout et sort par l'autre». Son fonctionnement est plus complexe que cela.
(Voir planche)

A l'intérieur du tube digestif la fragmentation des aliments est produite par deux sortes d'actions: la première est mécanique (broyage et barattage) et exercée par les dents et les contractions musculaires le long du tube digestif; la seconde est chimique et on la doit à l'effet des enzymes contenues dans les sucs digestifs. Un suc digestif est un liquide sécrété par les glandes digestives contenant des enzymes. Afin de digérer, l'organisme produit des enzymes adaptées à la nourriture ingérée. Les enzymes sont des catalyseurs ou agents de transformation. La salive contient une enzyme digestive appelée ptyaline. L'estomac contient d'une part des sucs gastriques acides très doux et, d'autre part, des sucs gastriques très forts, l'acide chlorydrique par exemple. Ces acides permettent la digestion, soit des hydrates de carbone soit des protéines. L'estomac contient deux enzymes principales: la présure et la pepsine. La présure est essentielle à la digestion du lait tandis que la pepsine sert à la digestion des protéines. La lipase, quant à elle, facilite la digestion des corps gras.

La digestion de certains aliments, tels les féculents, commence dans la bouche, d'où l'importance d'une bonne mastication et d'une bonne insalivation. Leur digestion se poursuit dans l'estomac. La mastication permet de déchirer, broyer, malaxer les aliments afin de les préparer à l'action des sucs digestifs. L'insalivation réduit les aliments en bouillie et permet leur acheminement vers l'estomac en passant par le pharynx et l'oesophage. Les ennuis débutent au moment où les aliments passent dans l'estomac si on ne s'alimente pas correctement. Je m'explique: nous avons vu que la digestion des hydrates de carbone, i.e. les farineux, requiert des sucs gastriques très doux, tandis que celle des protéines requiert des sucs gastriques très acides. Donc on fait face à une réaction chimique lorsque l'on consomme ces deux types d'aliments au même repas. Voici ce qui se produit alors: pendant les deux premières heures de la digestion l'estomac, plutôt que de recevoir un suc gastrique presque neutre, sécrète immédiatement un suc fortement acide. Alors la digestion des amidons s'arrêtera presque instantanément. Le résultat en est la fermentation des hydrates de carbone et la putréfaction des protéines. D'où les malaises que nous connaissons.

Nous venons de voir que certains aliments, tels que les féculents ou farineux et les protéines, sont digérés dans l'estomac. Par contre, les sucres et les fruits sont digérés dans l'intestin.

Consommés seuls ils séjournent peu de temps dans l'estomac. Ils s'acheminent ensuite très rapidement dans l'intestin si rien n'entrave leur sortie de l'estomac. Voilà pourquoi on doit les consommer seuls, c'est-à-dire à des repas séparés sans quoi nous aurons des ennuis. En effet, les fruits et les sucres sont digérés dans l'intestin après un court séjour stomacal. Si on mange au même repas du pain, des pommes de terre et de la viande, qui demandent entre trois et six heures de digestion (selon la quantité ingérée), et que l'on termine ce même repas par du sucre ou des fruits, ces derniers séjourneront trop longtemps dans l'estomac et ils fermenteront. Il leur faudra attendre que la digestion des autres aliments soit terminée avant de passer à l'intestin. Résultats: gaz, ballonnements, maux d'estomac, constipation, maux de tête, migraines, etc...

Autre chose à savoir et à retenir: la ptyaline qui est l'enzyme digestive contenue dans la salive et qui amorce la digestion des féculents ou farineux cuits- je précise cuits- n'agit qu'en milieu alcalin. Par exemple, si on commence son repas par un verre de jus d'oranges et que l'on mange tout de suite après des farineux (du pain, des céréales, etc.), la digestion se fera difficilement ou pas du tout car le jus d'oranges aura acidifié la salive et l'enzyme digestive ne se produira pas. Elle ne favorisera donc pas la digestion des amidons, c'est-à-dire le pain et autres aliments du même genre. Voilà pourquoi il faut boire les jus de fruits au moins une demi-heure après des féculants ou des protéines.

Lorsque la nourriture est mangée comme il se doit et que tout est bien combiné, les aliments passent de l'estomac à l'intestin grêle sans encombrement ou sans problème. Le suc intestinal sécrété par les innombrables glandes intestinales contenues dans les parois s'ajoute au suc pancréatique et à la bile pour achever la transformation chimique de la digestion. La bile, substance alcaline, joue un rôle important dans la digestion et l'absorption des graisses. Elle émulsionne celles-ci, c'est-à-dire qu'elle les fragmente en fines gouttelettes et facilite ainsi l'action des lipases. Elle neutralise l'acidité du chyme à sa sortie de l'estomac, ce qui rend possible l'action des enzymes pancréatiques et intestinales. Précisons que le chyme est la nourriture réduite en bouillie.

En termes plus simples, la bile sert à neutraliser le bol alimentaire ou le chyme acide lors de sa sortie de l'estomac. Lorsque la vésicule biliaire est enlevée, la digestion devient plus difficile ou plus lente, car la bile contenue dans la vésicule est plus concentrée que lorsqu'elle sort directement du foie. Par conséquent, elle est plus efficace pour neutraliser le bol alimentaire. Voilà pourquoi il faut bien s'alimenter afin de ne devoir pas subir une telle ablation.

Les échanges se font au niveau de l'intestin grêle; le sang et la lymphe viennent chercher les nutriments nécessaires au maintien de la vie, par conséquent à celui de la santé. Les matières non digérées passent dans le gros intestin ou côlon. En cours de route, ces résidus alimentaires sont déshydratés grâce au gros intestin qui a la propriété d'absorber l'eau. Le contenu du gros intestin n'est pas digestible. les substances organiques qui s'y trouvent ne sont pas absorbables. Au cours de leur acheminement dans le côlon, ces matières sont décomposées par une flore intestinale bactérienne très abondante qui vit en symbiose dans le tube digestif[1]. Ces bactéries, tout en se nourrissant de matières organiques, synthétisent certaines substances (par exemple les vitamines) utiles à l'intestin. Les résidus du côlon inutiles à l'organisme forment les excréments ou matières fécales et sont éliminés par le relâchement du sphincter anal: principe appelé la défécation. Voilà résumé le principe de la digestion.

(1) Cette décomposition des substances organiques par des bactéries se nomme putréfaction.

«Vivre ce n'est pas être vivant, c'est bien se porter.»
— Martial

«Le soleil est plus longtemps vrai que les nuages.»
— Françoise Gaudet Smet

Tableau des combinaisons alimentaires

matin

sucres
Attendre une heure avant de manger quelque chose.

fruits
Attendre deux heures avant de manger autre chose.

---

midi et soir

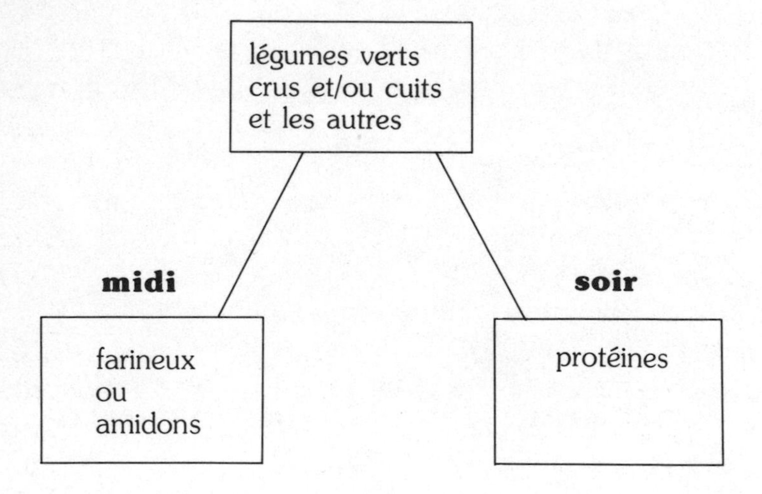

Note: voir explication du tableau à la page suivante.

Les combinaisons alimentaires.

A présent expliquons le Tableau précédent. Nous avons vu que les sucres sont digérés au niveau de l'intestin. De ce fait, ils doivent être mangés seuls lorsque l'estomac est vide afin de prévenir les fermentations stomacales. Il faut donc attendre une heure avant de consommer autre chose. Les fruits sont eux aussi digérés dans l'intestin; on doit également les manger seuls et à jeun. Cette fois il faut cependant patienter deux heures avant de manger autre chose. Manger des fruits en même temps qu'un autre aliment, tel que du pain, des crêpes, de la viande, cause de la fermentation, ce qui entraînera inévitablement des problèmes de digestion.

Il faut rééduquer son goût. Nous sommes tellement habitués à ajouter du sucre et du sel à tout ce que nous mangeons, nous ne connaissons plus le goût véritable des fruits et des légumes que nous mangeons.

Passons à présent l'autre côté de la grande ligne horizontale. Les légumes crus doivent de préférence précéder et accompagner un repas de féculents ou de protéines. Je vous expliquerai plus loin dans cet ouvrage pourquoi on devrait toujours commencer un repas par des crudités. On ne doit pas manger de pommes de terre ou de tubercules du genre, de farineux tels que le pain, le riz ou les pâtes alimentaires en même temps que la viande, le poisson et les autres protéines de source animale. Remarquez au

Tableau: il n'y a pas de ligne communicante entre les farineux et les protéines. Résumons tout ceci: les sucres (miel, sucre blanc, sucre brut, sucre de canne, sirop d'érable) doivent être mangés seuls; on doit attendre une heure avant de manger autre chose. On doit manger les fruits seuls, sans miel, sans pain, sans sucre et sans viande. Il faut les manger nature. Exception faite des fruits agrumes tels que les oranges, les tangerines, les clémentines, les citrons, les pamplemousses, etc... On peut accompagner ces derniers de noix ou de fromage cottage. Il ne s'agit cependant pas d'une combinaison idéale. On peut manger les fruits doux tels que les bananes et les dattes avec du yogourt nature. Après avoir mangé des fruits, il faut attendre environ deux heures avant d'absorber des légumes, du sucre, des féculents ou des protéines.

Par contre, les légumes crus ou cuits se mangent très bien avec féculents et protéines. On ne doit pas manger de pommes de terre ni aucun autre féculent avec la viande, le poisson et les diverses protéines de source animale.

La pomme de terre, si elle est certainement un légume, est avant tout considérée comme une importante source de féculents.

Au Tableau des combinaisons alimentaires, nous vous suggérons de manger des fruits au petit déjeuner, des féculents à midi et des protéines le soir. La raison en est fort simple: les fruits sont dépuratifs. Ils préparent donc la voie aux autres repas. Si l'on ne prend pas l'habitude de manger ses fruits le matin, il est probable que l'on n'en mangera pas de la journée, puisqu'il ne faut pas les manger en même temps que les autres aliments. Mangez donc des fruits frais ou séchés le matin. Mangez-en à votre faim. On suggère de manger les féculents ou farineux à midi, étant donné qu'ils sont moins longs à digérer que les protéines.

Ainsi, l'estomac sera vide pour le souper puisque nous avons presque tous l'habitude de prendre nos repas à heure fixe, appétit ou pas. Le laps de temps qui s'étend entre le souper et le petit déjeuner suivant permet la digestion des protéines qui peuvent mettre six heures à sortir de l'estomac. Evidemment on peut inverser cet ordre et l'adapter à son mode de vie. Vous serez toutefois plus en forme si vous prenez l'habitude de manger des fruits au petit déjeuner, d'autres fruits encore en guise de collation durant l'avant-midi; une salade de crudités et des féculents à midi; une demi-heure avant le repas du soir, un verre de jus de légumes ou de fruits fait à l'aide de l'extracteur à jus, une salade de crudités avec les protéines (viande, poisson, poulet, oeufs, fromage, noix, tofu. etc...) auxquels on peut ajouter des légumes cuits si on en a envie. On remarquera que le repas ne se termine pas par un dessert, gâteau ou fruits. Notons aussi qu'il est déconseillé de boire en mangeant car l'eau dilue les sucs gastriques. Par conséquent, cela ralentit la digestion. L'idéal demeure de ne pas boire à la fin du repas. Si on a mangé beaucoup de fruits ou beaucoup de légumes crus, on n'aura pas soif. Ce n'est qu'une habitude à prendre. Il ne faut surtout pas boire de café, de thé ou de lait. On doit les remplacer par des infusions, des tisanes ou des cafés de céréales. Il en sera question plus loin dans cet ouvrage. La raison pour laquelle nous ne devons pas boire de lait est la suivante: à mesure que l'on vieillit diminuent les réserves de présure, cette enzyme qui sert à la digestion du lait. Voilà pourquoi les adultes ne doivent pas boire de lait. Qui plus est, il fabrique beaucoup de mucus, cause de sinusite, mal d'oreilles, surdité. Si l'on tient absolument à boire du lait, il faut le boire seul. Car lorsqu'il fait son entrée dans l'estomac, le lait se coagule en grumeaux qui tendent ensuite à enrober les particules des autres aliments à l'intérieur de l'estomac, les isolant ainsi des sucs gastriques, ce qui reporte la digestion après celle du lait caillé.

A présent, expliquons pourquoi il faut toujours commencer un repas en mangeant des crudités. Après un repas composé d'aliments cuits (potage, viande, légumes), le nombre de globules blancs contenus dans le sang passe de sept mille par millimètre cube (taux normal) à dix mille par millimètre cube en dix minutes, puis à trente mille en trente minutes. Leur nombre retrouve le taux normal après quatre-vingt-dix minutes. Le découvreur de ce phénomène, le docteur Virchow (1821-1902), le baptisa leucocytose. Le médecin prussien comprit que cette augmentation du nombre des globules blancs accompagne également toute inflammation, en particulier les maladies infectieuses. Elle peut être considérée comme une réaction défensive passagère contre un élément étranger à l'organisme. D'autre part, le docteur Virchow a observé qu'après un repas composé uniquement de végétaux crus, cette hyperleucocytose ne se produisait plus. Le même phénomène peut être observé lorsqu'on mange des aliments cuits après en avoir déjà mangé des crus. Il est important de souligner que c'est **après avoir mangé des aliments crus**. Tout se passe comme si les aliments naturels et vivants (dont les éléments n'ont pas été tués par la cuisson) n'étaient pas étrangers à l'organisme, puisqu'ils ne provoquent pas une réaction défensive, comme le font les denrées cuites. Consommer des denrées crues avant les denrées cuites assure une bonne digestion et neutralise les sensations de fatigue et de somnolence ressenties très souvent après un repas composé uniquement d'aliments cuits. Les plus fortes leucocytoses sont celles enregistrées après l'ingestion d'alcool, de vinaigre, de sucre blanc et de produits en conserve. Résumons cela: les globules blancs ou leucocytes défendent l'organisme contre tout agresseur. Par exemple, lorsqu'on se blesse une armée de globules blancs se précipite sur la plaie et se multiplient afin de détruire les microbes, c'est-à-dire les agresseurs. L'alcool, le vinaigre, les aliments cuits, étant des aliments de second ordre, sont donc des agresseurs. Les globules blancs prolifèrent afin de défendre l'organisme contre eux. Si on répète ces excès à tous les repas, le sang comptera davantage de globules blancs que de globules rouges et l'anémie s'installera.

Autre chose importante à déterminer: nous savons que les glucides ou hydrates de carbone doivent être hydrolysés par la digestion en sucres simples afin d'être absorbés. Voici pourquoi: les seuls sucres simples que l'on retrouve dans la nature à l'état pur et qui ne requièrent aucune transformation digestive sont le sucre contenu dans les fruits et le miel. L'organisme ne doit dépenser aucune énergie nerveuse afin de les convertir en sucres simples, car ils en sont déjà. Les autres hydrates de carbone ou glucides, les farineux par exemple, sont réduits par la ptyaline (l'enzyme digestive contenue dans la salive) en maltose, un sucre complexe. Le maltose subit à son tour dans l'intestin l'effet de la maltase qui le réduit enfin en sucre simple: le glucose. Ce processus exige une dépense d'énergie de l'organisme. Voilà pourquoi il est faux de prétendre que l'on augmente son énergie en mangeant du chocolat ou des sucreries. La dépense d'énergie nerveuse que doit fournir l'organisme afin de convertir ces sucres complexes en sucres simples équivaut à l'énergie que procurent ces sucres. Leurs actions se neutralisent donc. On ne le répétera jamais assez: les meilleurs sucres sont contenus dans le miel et les fruits frais ou séchés, sans additif aucun. Il ne faut cependant pas les manger n'importe quand. A ce sujet, consultez le Tableau des combinaisons alimentaires.

Je viens de vous expliquer, mes chers amis, la manière idéale de vous alimenter. Adoptez-la et vous vivrez en santé. Finis les maux de tête, les constipations, les migraines, etc... Bien entendu, il ne sera pas facile de modifier de mauvaises habitudes acquise depuis tant d'années, et surtout de changer sa façon de penser, mais la vie nous confronte à un choix: fonctionner à quarante pour cent de son potentiel en traînant nombre de malaises ou fonctionner à cent pour cent grâce à une alimentation saine, naturelle et succulente.

«Nous sommes ce que nous mangeons. Ce qui veut dire par voie de conséquence que l'alimentation est la plus grande force de santé et de guérison qui soit.»
Marcel Chaput («L'Ecole de la santé», p.14)

Ce que l'on doit manger

A présent que vous connaissez les six catégories d'aliments qu'inclut toute alimentation équilibrée, que vous savez comment fonctionne le système digestif, que vous savez quand et comment manger les aliments, c'est-à-dire quelles sont les bonnes combinaisons alimentaires, il vous faut connaître la différence entre les aliments sains ou naturels et les aliments nocifs ou nuisibles à la santé.

Pour ce faire, repassons en revue les différentes catégories d'aliments. En premier lieu, **les glucides ou hydrates de carbone**.

A) De tous les *sucres*, le meilleur provient des fruits. Vient ensuite le miel. On ne doit pas en consommer avec d'autres aliments, pas même avec un breuvage chaud pris à la fin d'un repas. Souvenez-vous des combinaisons alimentaires. Il est préférable de prendre du miel dilué dans une tasse d'eau chaude, non pas bouillante, ou dans une tisane lorsque l'estomac est vide. Par exemple, au lever. Il faut ensuite attendre une heure avant de manger quoi que ce soit. Le miel naturel non pasteurisé contient de nombreuses vitamines et des oligo-éléments. Le miel naturel est un aliment énergétique. Il est aussi un antiseptique ou bactéricide naturel. Appliqué sur des plaies, blessures ou ulcères, il les nettoie et répare les tissus lésés. On doit éviter le miel pasteurisé qui contient un pourcentage d'eau ainsi qu'un antiferment chimique. De plus, la pasteurisation détruit les enzymes du

miel et enlève une grande partie de sa valeur nutritive.
B) **Les farineux ou féculents.** Il ne faut manger que des céréales complètes si nous voulons donner à l'organisme tous les minéraux et vitamines dont il a besoin. Il faut donc bannir les farines blanches et leurs dérivés: le pain blanc, les brioches, les biscuits, toute la gamme des céréales du petit déjeuner ainsi que le riz blanc. On doit remplacer ces aliments par de la farine de blé entier, de soya, de sarrasin, de seigle, qui ne sont pas chimifiées, par des céréales du genre granola (sans fruit toutefois), de même que l'on doit substituer au riz blanc du riz brun ou entier.
C) **Les protides ou protéines.** Il faut choisir la viande la plus maigre qui soit. Elle doit être bouillie, rôtie ou cuite à la vapeur; jamais cuite dans du beurre, de l'huile ou dans un autre corps gras. Il en va de même pour **le poulet et le poisson**. Procurez-vous du poulet organique, élevé à picorer librement des grains. Achetez des **oeufs** de poules nourries biologiquement, c'est-à-dire de la volaille qui ne vit pas en cage et que l'on ne force pas à pondre nuit et jour. Vous en trouverez chez les marchands d'aliments naturels. On doit acheter du **fromage** maigre non coloré. Le fromage cottage ou à la pie est indiqué. Il existe des fromages de type mozzarella dont la teneur en gras n'est que de quinze pour cent. Ils accompagnent très bien une salade et servent à gratiner. Attention aux **poissons** car nos eaux sont presque toutes polluées par des déchets de toutes sortes. Souvenez-vous des empoisonnements au mercure, il y a quelque temps. Je ne veux pas sembler alarmiste; les faits parlent d'eux-mêmes.

Parmi toutes les **noix**, on conseille les amandes blanches crues car elles sont moins acidifiantes que les autres.

Le **tofu** est une protéine entièrement végétale vendue sous la forme d'un fromage d'un blanc grisâtre. Fabriqué à partir de la fève de soya, on le surnomme fromage de soya. **Les champignons, l'avocat, les olives noires, la luzerne, la fève de soya, les noix, les graines de tournesol, de sésame, de citrouille et de lin** contiennent aussi des protéines entièrement végétales. On sait à présent que l'on retrouve les protéines complètes dans les protéines animales, le lait humain, les oeufs, la luzerne et la fève de soya. On conseille donc aux végétariens de diversifier leurs sources de protéines végétales afin que leur alimentation inclue tous les acides aminés essentiels à la santé. Ainsi, un mélange de graines de tournesol, de sésame, de citrouille et de lin (cf quelques recettes) fournira tous ces acides aminés essentiels. On peut en ajouter quelques cuillerées à soupe à la salade. On achète **la luzerne germée** à tous les comptoirs de légumes. On peut même en faire germer chez soi. A poids égal, la luzerne contient plus de protéines que la viande. On doit cuire **les oeufs** mollets, les pocher ou les faire bouillir durant deux minutes, ou alors les faire cuire dans une poêle qui ne nécessite aucun gras. Le blanc doit toujours être cuit tandis que le jaune doit demeurer liquide. Voici pourquoi: le jaune contient la lécithine et le cholestérol. Lorsque le jaune est cuit dur, la lécithine est détruite et ne reste que le cholestérol. Le blanc cru tue la biotine (vitamine H) de notre organisme. On ne devrait pas manger plus de trois oeufs par semaine.

Les lipides. De tous les corps gras, les meilleurs pour la santé sont les huiles mécaniquement pressées. Il ne faut jamais faire chauffer les huiles. Toutes les huiles chauffées donnent du cholestérol. Il en va de même pour le beurre, la margarine et tout autre corps gras. Ces derniers contiennent de la glycérine qui, une fois chauffée, se change en un poison nommé acroléine. Nous en reparlerons plus loin.

Les vitamines et les minéraux. Afin de consommer toutes les vitamines et tous les minéraux nécessaires à l'organisme, on doit manger beaucoup de fruits et de légumes crus. On sait que la cuisson détruit environ quarante ou cinquante pour cent de leur valeur nutritive. Plusieurs vitamines sont volatiles. En ce qui concerne les minéraux, si nous jetions l'eau de cuisson nous les perdrions presque tous car ils sont solubles à l'eau. Par conséquent, l'évier serait mieux alimenté que nous! On conseille de faire cuire les légumes à la vapeur dans une marguerite. On peut se la procurer dans tous les rayons d'articles de cuisine des grands magasins. Pour ce qui est des produits surgelés, on perd vingt-cinq pour cent de leur valeur nutritive.

L'eau. La meilleure eau qui soit est contenue dans les fruits et les légumes frais. On doit faire ses jus avec un extracteur. Vous verrez que 250 ml de jus frais par jour préviennent les rhumes et les grippes. En effet, on assimile les fruits et les légumes à quatre-vingt-dix pour cent lorsqu'on les boit; le taux d'assimilation n'est que de quinze lorsqu'on les mange crus, ceci en raison des fibres qu'il faut rejeter. On doit évidemment manger des fruits et des légumes entiers car les fibres sont nécessaires à l'intestin. L'un n'empêche pas l'autre.

Il ne faut boire ni thé, ni café, ni chocolat chaud ou froid. En ce qui concerne ce dernier, il faut n'en faire aucun usage, sous quelque forme que ce soit. On doit les remplacer par des infusions, des tisanes, du thé de feuilles de rooïbush, des cafés de céréales et de la poudre de caroube. On les trouvera tous dans les épiceries d'aliments naturels. Précisons que le thé contient de la théine, le café de la caféine, le chocolat de la théobromine et qu'elles sont toutes des facteurs cancérigènes.

On doit aussi rayer de son alimentation les épices fortes telles que le poivre et la moutarde, qui sont des excitants et des agents irritants pour le tube digestif. Les vinaigres blanc, de cidre et de vin doivent être bannis de l'alimentation. Le vinaigre, le citron et tout autre acide utilisé dans les vinaigrettes arrêtent brusquement la sécrétion chlorydrique et font obstacle à la digestion des protéines consommées au cours du repas.

Nous avons vu que les aliments les plus naturels sont ceux qui poussent dans les jardins cultivés selon la méthode biologique: les fruits, les légumes, les noix et les grains. Viennent en second lieu les animaux nourris de grains et de fourrage naturel. Sont aussi naturels les aliments composés d'ingrédients exclusivement naturels.

Parlons à présent des aliments les plus courants de notre alimentation quotidienne:

Le pain. Le pain de blé entier acheté dans un magasin d'aliments naturels est fait avec de la farine de blé entier non chimifiée et de levain. On y ajoute un peu de sel de mer ainsi que de l'eau de source. Certains boulangers ajoutent encore du sucre brut, de l'huile de tournesol et de la levure pour remplacer le levain. Toutefois, il est préférable de manger du pain fait avec du levain car, selon certaines recherches, la levure ajoutée aux céréales produit de l'acide phytique qui sera une des causes de la déminéralisation. Ce pain contient tous les éléments nutritifs du blé, du seigle, etc., nécessaires à la santé. On trouve aussi dans les magasins d'aliments naturels des pains de soya, de seigle, de cinq grains, etc... Tous sont fabriqués avec des ingrédients de qualité. Excellents au goût, ces pains ne constipent pas. Par contre, le pain blanc n'a aucune valeur nutritive parce qu'il est fait avec de la farine blanche blutée à l'excès, à laquelle on ajoute une vingtaine de produits chimiques et trois vitamines synthétiques qui ne sont d'aucune utilité. De plus, le pain blanc est insipide, il engendre la contipation et dérobe à l'organisme ses provisions de vitamines et d'oligo-éléments. Afin qu'un aliment soit digéré et assimilé par l'organisme, il doit être complet. Sinon, l'aliment incomplet puise dans les réserves de l'organisme les vitamines et les minéraux nécessaires à sa digestion. On doit conserver au réfrigérateur les pains et les farines de céréales entières car ils ne contiennent aucun agent de préservation et moisissent rapidement.

Je vous recommande les pains Nutri-Force ou Vieux Moulin vendus dans tous les magasins d'aliments naturels. J'en achète depuis fort longtemps et il est toujours d'aussi bonne qualité. Le même fournisseur offre des farines à pâtisserie et à boulangerie de première qualité, ainsi qu'une excellente farine de sarrasin. Le pain Nutri-Force est fait avec des farines de première qualité moulues sur une meule de pierre.

Le sel. Le sel de mer contient de l'iode naturel et des oligo-éléments. Il est le résidu de l'évaporation de l'eau de mer. Le sel gemme ou sel vendu dans toutes les épiceries est tiré des mines souterraines. A l'origine c'était du sel marin, mais il a perdu son iode naturel. De plus, il est ultra-raffiné. Il ne contient donc plus aucun oligo-élément. Si l'on tient mordicus à saler ses aliments, il vaut mieux employer du sel de mer. Mais il est préférable de s'abstenir de la salière. On peut remplacer le sel par des fines herbes: fenouil, origan, marjolaine, thym, menthe, carvi, etc... On trouve aussi sur le marché un assaisonnement végétal avec ou sans sel de mer nommé Herbamare.

Le sucre. Le sucre provient de l'évaporation du jus de la canne à sucre. Si on le raffine, c'est-à-dire si on lui retire tous ses oligo-éléments et ses autres matières organiques, on obtient un produit chimique appelé ironiquement «sucre blanc». Ce sucre est un poison pour l'organisme. Il est décalcifiant. Au contraire, le sucre brut contient quantité d'oligo-éléments et certaines vitamines. On doit l'employer de préférence au sucre blanc. Toutefois il faut en restreindre l'usage.

La mélasse. Bien qu'elle soit un produit naturel, il ne faut pas en abuser. La mélasse brute est certainement la seule prescrite et la meilleure manière d'en consommer est d'en prendre une cuillerée à soupe diluée dans une tasse d'eau chaude le matin à jeun, une heure avant le petit déjeuner. On ne doit jamais manger de mélasse avec des féculents. Il faut donc la bannir absolument avec le pain, les crêpes, les biscuits. Sinon, on s'empoisonnera avec les effets de la fermentation. Les personnes qui ressentent des rages de sucre ont le foie engorgé. Devenu naturiste, on ne consommera plus qu'une petite quantié de sucre car on aura rééduqué son goût. La mélasse brute non sulfurisée contient environ cinquante pour cent de fructose facilement assimilable, de nombreuses vitamines, en particulier celles du groupe B, ainsi que des sels minéraux. La mélasse brute exerce aussi une action bienfaisante sur le péristaltisme de l'intestin, facilitant ainsi l'élimination des matières fécales.

Le beurre. On peut remplacer le beurre de fabrique par de la margarine. On doit cependant se méfier des margarines faites à base d'huiles hydrogénées, même si leur pourcentage est peu élevé. L'hydrogénation a pour but de modifier la chaîne moléculaire du gras pour la faire passer de l'état solide à l'état liquide, ce qui produit ainsi un taux élevé de cholestérol. On peut tartiner son pain avec du beurre de sésame, de noix, d'arachides et avec du pâté végétal (Tartex, Bévitex, etc...).

Le beurre d'arachides. Le beurre d'arachides

est très nutritif lorsqu'il est fait à partir d'arachides complètes auxquelles aucun additif chimique ne fut ajouté. Il contient plusieurs acides aminés essentiels, des matières azotées et grasses, de même que plusieurs vitamines importantes (A, B et E). Par contre, le beurre d'arachides de type commercial contient de l'huile hydrogénée, de l'eau, du sucre blanc, du sel raffiné ainsi que des agents de préservation chimiques. Ce beurre d'arachides contribue à faire hausser le taux de cholestérol dans le sang.

Les pâtes. Les pâtes alimentaires valent ce que vaut la farine qui a servi à leur préparation. Elles possèdent donc les mêmes caractéristiques que le pain. De même qu'il faut éviter le pain blanc fait avec de la farine raffinée et à laquelle on a ajouté de nombreux produits chimiques, il faut éviter les pâtes faites à partir de ces farines. Celles que l'on offre dans les marchés d'aliments naturels sont faites avec différentes céréales et avec différents légumes.

Les huiles végétales. A cause de leur haute teneur en acides gras non saturés, les huiles naturelles (i.e. provenant d'une première pression à froid ou mécaniquement pressées) doivent entrer dans l'alimentation quotidienne et plus particulièrement dans les salades. On les trouve en une grande variété: soya, maïs, tournesol, olive, safran, germe de blé et le reste. Délicieuses au goût, elles contribuent au combat contre l'accumulation de cholestérol dans les vaisseaux sanguins grâce à la lécithine qu'elles contiennent. Par contre, on doit se méfier des huiles végétales offertes commercialement car la plupart d'entre elles sont extraites à la chaleur ou avec des produits chimiques, ce qui sature les gras, détruit la lécithine et produit du cholestérol. Il ne faut jamais chauffer les huiles. On doit donc bannir la friture.

Le riz. Non seulement le riz entier est-il meilleur pour la santé car il contient des vitamines et des minéraux, il l'est aussi au goût car le riz blanc ne contient que de l'amidon.

Le thé naturiste

Le thé naturiste est fait à partir des feuilles séchées d'un arbuste appelé «rooïbush» que l'on retrouve en Afrique du Sud. Contrairement au thé généralement connu qui provient du théier, la feuille du rooïbush ne contient aucune théine et très peu de tanin. Par contre, elle contient un pourcentage élevé de vitamine C, soit 15,7 mg par 10 g, ce qui la rapproche avantageusement des fruits et des légumes frais. L'analyse d'une tasse de thé naturiste préparé comme à l'ordinaire a révélé la présence de protéines et de minéraux tels que le fer, le manganèse, le calcium, le magnésium, le potassium et le phosphate.

Le café

Nous le savons presque tous: le café contient de la caféine, un excitant pour le coeur et un poison pour les nerfs. C'est pour cette raison que les gens en boivent en aussi grande quantité; ils sont suralimentés ou encore ils souffrent de sous-alimentation. L'humain moderne a besoin des coups de fouet que lui infligent de nombreuses tasses de cafés quotidiennes afin de le tenir en marche. Les cafés naturistes préparés à partir de fèves de soya, de grains de céréales rôties ou de fruits séchés sont exquis au goût et inoffensifs pour le système nerveux. On en trouve plusieurs sortes sur le marché qui varient selon leur composition. Je voudrais cependant ajouter ceci: en mangeant continuellement des aliments carencés, nous-mêmes développons des carences nutritives. Evidemment, nous ne sommes pas toujours en mesure de nous procurer des fruits et des légumes organiques, mais il vaut encore mieux se nourrir de fruits et de légumes crus que de grignoter des croustilles, des chips, du chocolat, ou encore de boire des boissons gazeuses et de manger des conserves. Il nous faut absorber le maximum de crudités. Ce faisant, nous mangeons moins et sommes mieux nourris. La cuisson détruit entre quarante et cinquante pour cent de la valeur nutritive des aliments. Il faut toujours manger des légumes crus avec les protéines animales; la chlorophylle des végétaux prévient les dépôts de cholestérol sur les parois des vaisseaux sanguins. Elle contribue donc à l'élimination des gras. Il faut donc éliminer de son alimentation tous les fruits et les légumes en conserve car leur valeur nutritive est presque nulle. Ces légumes sont déjà cuits et nous leur donnons une deuxième cuisson. Très souvent on ajoute un produit chimique afin de préserver la couleur du légume. En ce qui concerne les fruits, ils baignent dans un sirop. Nous savons que sucres et fruits produisent une fermentation. On doit manger des fruits mûris à point afin de conserver toute leur valeur nutritive. Ainsi, les bananes doivent être mangées lorsque leur pelure est tavelée de taches brunes. L'intérieur du fruit doit être intact. Il ne faut pas manger les parties jaunes car elles ont atteint un niveau de fermentation équivalant à celui de l'alcool! Les fruits séchés ne posent aucun problème de santé; toutefois, quiconque veut maigrir doit s'en abstenir à cause de leur forte teneur en sucre. La rhubarbe, le chou et les épinards doivent être mangés crus. Aprés leur cuisson, se dégage un acide oxalique, l'une des causes de l'arthrite.

Terminons cet exposé en citant l'écrivain contemporain Marguerite Yourcenar, première femme admise au cénacle des quarante Immortels, qui met dans la bouche de l'un de ses personnages de sages paroles dignes d'être lues et entendues au sujet de l'alimentation: «Une opération qui a lieu deux à trois fois par jour et dont le but est d'alimenter sa vie mérite assurément tous nos soins.»

Les principaux aliments générateurs d'acide sont:

Tous les aliments carnés, y compris le poisson, la volaille et le gibier.
Les noix, à l'exception des amandes.
Les arachides.
Les petits haricots, les pois secs.
Les lentilles, les légumineuses
Toutes les céréales (le pain, le riz, etc.).
La farine blanche et tous les mets à base de céréales raffinées.
Le sucre.
Le thé, le café, le cacao.
Toutes les graisses et les huiles.
Les protéines.
Les fromages.

Les principaux aliments générateurs de base sont:

Tous les fruits doux ou acides, frais ou séchés.
Tous les légumes frais ou séchés.
Les amandes.
Les noix du Pérou.
Le lait sous toutes ses formes.

Fruits doux:

bananes, poires, kakis.
Les fruits séchés: figues, pruneaux, dattes, raisins, etc...
Ces fruits peuvent être mangés avec du yogourt.

Fruits acidulés

Mi-acides: cerises, pêches, certaines variétés de poires, prunes, abricots, pommes mûres, fraises, framboises, bleuets, nectarines, kiwis.

Acides: oranges, tangerines, clémentines, mandarines, pamplemousses, citrons, ananas, tomates.

Les fruits acides peuvent être mangés avec des noix ou du fromage.

Conclusion

Pour faire suite à l'acidité et à l'alcalinité, tout repas devrait inclure entre soixante-quinze et quatre-vingts pour cent de fruits et/ou de légumes et vingt pour cent d'aliments générateurs d'acide.

Saviez-vous que...

Si nous mangions uniquement des crudités, nous mangerions environ deux fois moins et nous serions en meilleure forme physique et mentale; de plus, nous réaliserions des économies.

En effet, une étude publiée par un organisme de protection du consommateur indiquait ceci: «Le consommateur qui veut bénéficier de la même valeur nutritive que celle que procurent les légumes frais doit absorber quarante pour cent de plus de légumes en conserve et vingt-cinq pour cent de plus de légumes surgelés. D'autre façon, on peut dire qu'un dollar de légumes frais vaut 1,40$ de légumes en conserve et 1,25$ de légumes congelés. Aussi, en tenant compte de la quantité d'eau contenue dans les légumes en conserve et de leur valeur nutritive, une livre de légumes frais vaut trois livres de légumes en conserve.» (Revue Mon Marché, vol. no 1, été 1980.) Il en est de même pour les fruits frais.

La moutarde et le poivre sont à bannir car ce sont des irritants et des excitants. On peut les remplacer par du sel végétal. Employez plutôt des aromates tels que la marjolaine, le thym, l'origan, la menthe, le carvi, la sarriette, l'estragon, l'Herbamare, etc...

Une cure au jus de raisins peut vous aider à enrayer la transpiration des pieds.

Manger trop de sucre cause une carence en vitamines

B. Bien entendu, il n'est pas question du sucre contenu dans les fruits et les légumes frais.

La fièvre est l'activité intense des organes dans le travail d'élimination.

Les adultes ayant moins d'énergie nerveuse que les enfants font moins de fièvre.

Les allergies ne sont autre chose qu'un empoisonnement protéique. En combinant bien les aliments, les allergies s'en vont.

Un aliment véritable ne doit pas contenir d'éléments nuisibles.

L'amidon est le seul aliment que la salive peut digérer et encore, doit-il être cuit.

La toxémie est caractérisée par la présence dans le sang, dans la lymphe, dans les sécrétions, les cellules, de toute substance qui altère le fonctionnement de l'organisme au-delà d'un certain seuil.

La violation des lois de la vie, en affaiblissant l'organisme, nuit aux fonctions d'excrétion et expose à la toxémie (empoisonnement par rétention des déchets organiques normaux, selon Shelton.).

Du jus de citron dans un verre d'eau chaude facilite la digestion.

Les cellules ne peuvent pas vivre en milieu acide.

L'acidose est un destructeur de force.

Le sang normal contient davantage d'éléments basiques que d'éléments acides; cela est nécessaire car, par les bases, les acides sont neutralisés et transformés en sels inoffensifs.

Les tissus du corps ne sont rien d'autre que de la nourriture transformée.

L'acide urique joue un rôle de premier plan dans toutes les affections arthritiques. L'acide urique est le produit terminal du métabolisme des substances azotées, appelées purines, qui proviennent des aliments de source animale. La viande maigre, le poulet et le poisson sont pauvres en purines. L'urée est le point terminal du métabolisme des protéines.

Il faut manger le concombre avec la pelure car celle-ci contient l'enzyme digestive. Sans la pelure, le concombre ne se digère pas.

Une betterave par jour maintient l'équilibre de la pression artérielle.

L'amidon ou farineux et sucres combinés sont des facteurs plus importants dans la production du rhumatisme que l'excès de viande. Donc on doit bannir tartes et gâteaux, etc...

L'eau représente soixante-dix pour cent du poids du corps humain. On élimine environ 2,500g d'eau par jour: 1,500g par l'urine, 500 par la sueur et 500 par les poumons.

En raison de leur essence sulfurée, le chou et le cresson crus sont excellents pour les poumons.

Une carence de potassium engendre le durcissement des artères. Mangez beaucoup de fruits, en particulier des pommes, et vous comblerez vos carences.

Le cholestérol est nécessaire à la santé, bien qu'un surplus soit généralement néfaste. Le taux normal de cholestérol sanguin admis par la médecine allopathique (i.e. conventionnelle) se situe entre cent cinquante et trois cents milligrammes par cent millimètres de sérum. La médecine naturopathique considère que la surchage commence vers cent quatre-vingts milligrammes. (Marcel Chaput, «L'Ecole de la santé», p.118.)

La malnutrition est un déséquilibre de l'alimentation causé par l'absence d'un ou de plusieurs aliments indispensables.

Chaque cigarette brûle vingt-cinq mg et même davantage de vitamine C; par conséquent elle brûle votre santé.

L'alcool est dépressif.

Un syndrome est l'ensemble des symptômes qui caractérisent une maladie.

Un symptôme est un phénomène qui révèle un trouble fondamental, c'est-à-dire un indice.

Les glandes sont des organes ayant pour fonction d'élaborer certaines substances et de les déverser soit à l'extérieur de l'organisme (exocrines) comme les glandes sudoripares et salivaires, soit à l'intérieur (endocrines) comme le foie et la thyroïde.

Tous les produits de charcuterie contiennent des nitrates et des colorants synthétiques.

Le jeûne et la cure de jus sont les méthodes naturelles les plus rapides pour l'amélioration de la santé.

Un végétarien qui ne suit pas les combinaisons alimentaires peut être en aussi mauvaise forme physique qu'un omnivore.

Il faut manger des légumes verts crus avec la viande, celle-ci étant une source d'acide urique. La chlorophylle des plantes vertes prévient le dépôt d'acide urique aux jointures et sur les cartilages, soulageant ainsi l'arthrite et le rhumatisme. Bien entendu, plus on mange de légumes verts plus le soulagement est efficace.

D'où vient l'habitude de faire cuire les aliments? Aux temps préhistoriques, lorsque des forêts tropicales fleurissaient dans les régions arctiques maintenant couvertes de glace, plusieurs variétés de fruits succulents et nourrissants fournissaient à l'humain une nourriture abondante. Pendant une tempête tropicale, la foudre frappa un arbre et la forêt prit feu. Fuyant le brasier, quelques animaux furent rattrapés par les flammes et rôtis. Lorsque les flammes furent éteintes et que les humains s'aventurèrent dans la région incendiée pour nettoyer le terrain, ils trouvèrent les animaux grillés. En les transportant, ils eurent la curiosité de goûter leur chair rôtie. Ils en aimèrent le goût et elle satisfit leur faim. Ils voulurent donc recommencer. Pour ce faire, il leur fallait du feu. Ils cherchèrent divers moyens de produire une étincelle jusqu'au jour où ils découvrirent que frotter deux morceaux de bois faisait naître une étincelle. A partir de ce jour, l'habitude de manger de la viande cuite s'implanta dans les moeurs.

Pour quiconque veut demeurer en santé ou la recouvrer, l'extracteur à jus est un appareil de cuisine indispensable. On a découvert qu'en mangeant les légumes crus, on ne les assimile qu'à quinze pour cent de leur valeur nutritive; alors que sous forme de jus, ils le sont à près de quatre-vingt-dix pour cent.

Important: pour que les jus aient toute leur saveur, il est conseillé de les prendre dès qu'ils sont extraits. On ne

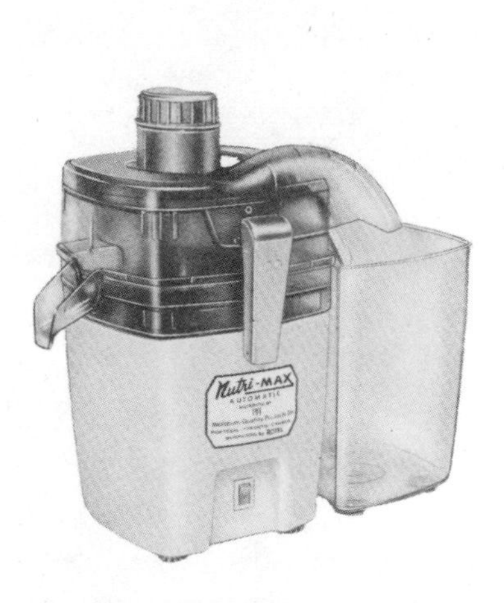

peut pas les conserver même au froid sans qu'ils perdent beaucoup de leurs vertus et de leur saveur.

Un verre de huit onces de jus frais par jour prévient les rhumes et les grippes. Boire des jus ne vous enlève pas le devoir de manger des fruits et des légumes entiers, car il vous faut des fibres pour faire fonctionner les intestins. Je possède un très bon extracteur de marque Nutri-Max depuis plus de vingt ans et j'en suis fort satisfaite. Il existe aussi la marque Acme vendue par Maximum-Nutrition. Quand vous achetez un extracteur à jus, assurez-vous que vous pourrez le faire réparer rapidement ou que l'on pourra remplacer les pièces défectueuses en moins de deux. Ces extracteurs à jus sont vendus dans tous les magasins d'aliments naturels.

Quelques recettes

Attention! Avant de vous donner quelques recettes, j'aimerais vous dire ceci: si vous acceptez au départ de cuire des aliments, il vous faudra passer outre certains principes de base. Par exemple: si vous faites une croûte de tarte, vous devrez forcément chauffer le corps gras.

L'Herbamare est un assaisonnement végétal préparé à partir d'herbes fraîches et de culture biologique. Il contient du sel de mer, des feuilles de céleri et de poireaux, du céleri, du cresson de jardin et d'eau, de l'oignon, de la ciboulette, du persil, de la livèche, du basilic, de la marjolaine, du romarin, du thym et du varech (kelp). Dorénavant, lorsqu'il sera question de sel végétal il s'agira d'Herbamare. Ce produit est en vente dans tous les magasins d'aliments naturels, en particulier chez Vogel qui en est l'importateur.

Le Morga est un extrait suisse de légumes à cent pour cent végétal. Il contient du sel de mer, de l'arôme végétal, de la graisse végétale, des épices, des légumes tels que le céleri, l'oignon, le persil, le chou, la carotte, le poireau, la tomate, de l'ail et de la muscade. Le Morga est en vente dans tous les magasins d'aliments naturels, en particulier chez Vogel qui en est l'importateur. Vous trouverez les adresses des différentes succursales dans les pages jaunes.

Suggestions de menus

Déjeuners

Vingt minutes avant le déjeuner, prendre une verre de jus de fruits frais préparé à l'aide de l'extracteur à jus. Il faudra toutefois attendre trente minutes avant de consommer les menus 13 et 14. Mangez selon votre appétit.

1— Une grosse pomme et une orange.

2— Une banane bien mûre et 200 ml (six onces) de yogourt nature.

3— Une grosse grappe de raisins ou différentes sortes de raisins.

4— Un cantaloup bien mûr.

5— Deux oranges et une dizaine de noix.

6— Un melon de miel.

7— Des pêches bien mûres et des nectarines.

8— Des kiwis* ou des figues.

9— De la purée de pommes crues.

10— Des oranges ou des tangelos, des mandarines avec 50 ml (deux onces) de fromage cottage.

11— Des fruits en gelée (cf Recette).

12— De la purée de pruneaux. Faire tremper les pruneaux lavés durant douze heures, les dénoyauter et les réduire en purée dans le mélangeur.

13— Une banane mûre et deux poires.

14— Quelques tranches de concombre, des bâtonnets de céleri et des rôties de blé entier tartinées de beurre d'ara-

chides.
15— La moitié d'un melon de miel, la moitié d'un cantaloup et quelques tranches de pastèque.
16— Céréales entières: granola sans fruit, All Bran, gruau d'avoine, etc.
*Le kiwi, ce fruit de la Nouvelle-Zélande, a une excellente valeur nutritive.
Deux kiwis moyens contiennent:
1— plus de fibres qu'une portion de son;
2— presque deux fois plus de vitamine C qu'une orange;
3— deux fois plus de vitamine E qu'un avocat;
4— plus de potassium qu'une banane moyenne;
5— aucun sel, aucun gras, aucun cholestérol;
6— chaque fruit donne 45 calories.

Les dîners

Différentes salades de crudités:
1— Sandwich au Tartex. Sur une tranche de pain de blé entier, tartiner du Tartex, ajouter une feuille de laitue et recouvrir d'une autre tranche de pain. On peut aussi y glisser des tranches de concombres ou une légère salade de crudités. Délicieux.
2— Riz entier avec des légumes cuits, tels que du brocoli, des haricots, etc...
3— Une pomme de terre au four accompagnée de légumes cuits.
4— Des fèves rognons rouges ou des fèves blanches.
5— Une soupe aux pois avec une tartine de Tartex.
6— Une galette de sarrasin.
7— Un pâté de pommes de terre, carottes et navet.
8— Un bouilli de légumes.
9— Une soupe minestrone accompagnée d'un sandwich au beurre d'arachides.

10— Poivrons verts farcis aux fèves blanches.
11— Un pain aux légumes
12— Un macaroni aux légumes.
13— Des légumes en croûte.
14— Un couscous aux légumes.
15— Un potage de carottes et de navet accompagné de légumes cuits et d'une tranche de pain de seigle.
16— Repas rapidement préparé: déposer deux rôties de blé entier dans une assiette. Y étendre de la margarine. Déposer du brocoli, des pois verts ou des haricots cuits. Napper d'une sauce béchamel, d'une sauce au maïs ou encore d'une sauce préparée avec le reste du bouilli aux légumes passé au mélangeur.

Les soupers

Servir une salade de crudités avec:
1— Une tourte aux légumes. (cf Recette).
2— Des oeufs au plat.
3— Une courge spaghetti farcie
4— Des fèves soya.
5— Du tofu à l'avocat: 1 cuil. à soupe de mayonnaise au citron, 110 g (un quart de livre) de tofu, 1 avocat, de l'Herbamare et du persil. Ecraser l'avocat à l'aide d'une fourchette et mélanger aux autres ingrédients.
6— Une aubergine farcie. (cf Recette)
7— Une quiche au brocoli.
8— Une macédoine au fromage cottage.
9— Un végé-pâté.
10— Une courgette farcie. (cf Recette).
11— Une aubergine au fromage cottage.
12— Un avocat farci.
13— Des champignons aux légumes
14— Des grenailles protéiques avec des haricots verts et

du brocoli.
15— Des poivrons farcis et des haricots verts cuits.
16— Une tarte aux poireaux ou du tofu aux herbes.

Important:

On se demande souvent quelle quantité de protéines on devrait manger pour être en forme. Plus on travaille fort ou plus on dépense d'énergies nerveuses, on doit évidemment manger davantage de protéines, d'hydrates de carbone, etc. «On estime à un gramme de protides par kilogramme de poids la ration quotidienne d'entretien d'un homme adulte, soit environ 70 g pour un adulte qui pèse 70 kg (155 livres). Les besoins pour un enfant de 1 à 3 ans sont de 3,5 g par kg de poids;
5 à 12 ans 3 g par kg de poids;
15 à 17 ans 2 g par kg de poids;
17 à 21 ans 1,5 g par kg de poids;
21 ans et plus 1 g par kg de poids.»

-Extrait de «L'Homme dans son milieu», cf Bibliographie.

Vous souhaitez perdre un peu de poids?

Mangez seulement des fruits frais durant quelques jours, en prenant soin d'éviter la banane.
8 heures une pomme
10 heures une orange
12 heures une pêche
14 heures un kiwi
16 heures une poire
18 heures la moitié d'un cantaloup
20 heures deux prunes
22 heures une pomme
N.B: On peut manger le même fruit toute la journée. Ou alors:
Déjeuner: une pomme et une orange. Si on a faim en avant-midi, on peut manger une pêche.
Dîner: une salade de crudités et une tranche de pain entier avec de la margarine ou du Tartex.
Souper: une salade de crudités avec 50 ml (deux onces) de fromage cottage (2% de gras).
En soirée: une pomme.
N.B: la pomme contient du brome qui favorise le sommeil.
Afin de maigrir et de maintenir son poids, il faut éviter:
les charcuteries
les féculents ou les légumineuses
les farineux (riz, pomme de terre, pâtes, pain, etc...)
les sucreries, les pâtisseries

les poissons gras
les viandes grasses
les fromages gras
les graisses et les sauces
les fruits secs
l'alcool
les boissons sucrées et les eaux gazeuses.

On peut par contre manger à volonté des légumes verts crus et cuits et autres crudités.

Consultez les tableaux des valeurs caloriques des aliments afin de vous composer un régime amaigrissant ou engraissant, selon le cas. Après une cure de jus de fruits ou de légumes, on conseille de prendre trois repas par jour; car sauter un repas entraîne une sensation de faim intense au repas suivant.

Aubergine au four

1 aubergine moyenne
3 tomates moyennes
125 ml d'eau (1/2 tasse)
30 ml de farine de sarrasin ou de blé entier (2 cuil. à soupe)
3 ml de sel de mer ou d'Herbamare (1/2 cuil. à thé)
fromage maigrelet

Laver et couper l'aubergine en tranches d'un demi pouce d'épaisseur. Cuire à la vapeur six à sept minutes. Pendant ce temps, dans le mélangeur rapide, mélanger les autres ingrédients sauf le fromage. Faire cuire cette sauce. Dans une casserole allant au four placer les tranches d'aubergine, y verser la sauce tomate et recouvrir de tranches de fromage de type mozzarella à quinze pour cent de gras. Mettre au four et faire griller entre trois et quatre minutes. (2 portions.)

Aubergine farcie au riz

2 grosses aubergines
750 ml de riz brun cuit (3 tasses)
250 ml de macédoine cuite (1 tasse)
250 ml de brocoli cuit coupé finement (1 tasse)
30 ml d'huile de tournesol (2 cuil. à soupe)
5 ml d'Herbamare ou au goût (1 cuil. à thé)

Lavez les aubergines. Placez-les dans une grande casserole. Couvrez-les d'eau et amenez-les à ébullition. Couvrir et cuire à feu lent environ quinze minutes. Après la cuisson, couper les aubergines en deux dans le sens de la longueur. Enlevez soigneusement la pulpe en prenant soin d'en laisser environ un quart de pouce avec la peau. Mélangez le riz, la macédoine, le brocoli, la pulpe d'aubergines coupées en dés, l'Herbamare et l'huile. Farcir les cavités d'aubergines et les garnir de persil frais. (4 portions.)

Avocat farci

1 avocat
1 carotte moyenne râpée
5 ml de persil frais finement haché (1 cuil. à thé)
5 ml d'huile de tournesol ou autre, ou 5 ml de mayonnaise
une pincée d'Herbamare ou de sel de mer

Couper l'avocat en deux dans le sens de la longueur. Dénoyauter et remplir la cavité avec le mélange de carotte râpée, d'huile, de persil et d'Herbamare.

Courge farcie

1 courge
500 ml de macédoine (2 tasses)
50 ml de fromage cheddar doux coupé en dés (1/4 de livre)
2 ml de sarriette (1/4 de cuil. à thé)
2 ml d'origan
3 ml de sel ou d'Herbamare (1/2 cuil. à thé)
500 ml de bouillon Morga
Quelques tranches de fromage maigrelet

Laver la courge. La placer dans un chaudron d'eau bouillante. Couvrir et faire cuire environ une heure. Piquer pour constater si elle est cuite. La piquer à l'aide d'une fourchette avant la cuisson afin de l'empêcher d'éclater. La couper en deux après la cuisson. Enlever le centre et la coquille.

Mélanger la macédoine chaude, la sarriette, l'origan, l'Herbamare et le fromage en dés. Remplir les cavités. On peut enlever quelques spaghetti pour agrandir la cavité à farcir et les disposer dans l'assiette pour le service. Verser le bouillon Morga sur les légumes. Recouvrir de tranches de fromage et faire griller au four jusqu'à ce qu'elles soient dorées.

Courges vertes farcies

2 courges moyennes
250 ml de carottes pilées (1 tasse)
250 ml de navet pilé
3 ml d'Herbamare (1/2 cuil. à thé)
3 ml de sarriette
fromage râpé

Laver les courges et les faire cuire dans une casserole du genre rôtissoire remplie d'eau bouillante. Couvrir et cuire entre dix et quinze minutes, selon la grosseur des courges. Percer avec une fourchette pour constater si elles sont cuites. Couper les courges dans le sens de la longueur, enlever la pulpe tout en prenant soin d'en laisser un quart de pouce tout le tour. Dans un bol, mélanger la pulpe, les carottes, le navet et les assaisonnements. Remplir les cavités, recouvrir de fromage râpé et faire dorer au four.

Couscous aux légumes

250 ml de semoule (1 tasse)
750 ml d'eau bouillante (3 tasses)
1 petit oignon
250 ml de macédoine
15 ml d'huile de tournesol (1 cuil. à soupe)
5 ml d'Herbamare ou de sel de mer (1 cuil. à thé)

Plonger la semoule dans l'eau bouillante avec l'oignon. Faire cuire une minute. Fermer le feu. Ajouter l'Herbamare ou le sel, la macédoine et laisser reposer environ cinq minutes. Dans l'assiette, ajouter l'huile selon le goût.

Légumes en croûte

Faire cuire dans un peu d'eau des carottes et du navet (environ 250 ml soit 1 tasse de chaque légume), ainsi que des pommes de terre coupées en dés. Vers la fin de la cuisson, ajouter des pois verts, 1/2 cuillerée à thé de Morga, du sel de mer ou de l'Herbamare. Bien mélanger et laisser cuire quelques minutes. Ajouter un peu d'eau pour ne pas laisser prendre au fond. Faire une sauce béchamel et verser sur les légumes. Bien mélanger. Verser sur une croûte de tarte et recouvrir d'une abaisse. Faire cuire au four à 215 C (425 F) pendant dix minutes. Baisser le feu à 180 C (350 F) pendant environ trente minutes. La croûte du dessus peut être humectée avec un peu de lait pour lui donner une couleur plus dorée.

Macédoine au fromage cottage

Si vous n'avez pas de macédoine fraîche incluant des carottes, du navet, des pommes de terre, des pois verts, des haricots verts et jaunes, faites cuire de la macédoine congelée jusqu'à ce que les légumes soient tendres. Assaisonnez avec de la sarriette, de l'origan et de l'Herbamare. Ajoutez entre 250 et 500 ml (8 et 16 onces) de fromage cottage. Déposez le tout sur des feuilles de laitue. Vous pouvez y ajouter des olives noires ou farcies. Ce plat se prépare rapidement et plaît au goût.

Millet aux légumes

250 ml de millet (1 tasse)
750 ml d'eau (3 tasses)
125 ml de carottes coupées en dés (1/2 tasse)
125 ml de poivron vert coupé en dés

125 ml de pois verts
5 ml de Morga (1 cuil. à thé)
5 ml d'Herbamare ou de sel marin, selon le goût.
1 petit oignon

Dans un chaudron amener l'eau à ébullition. Y jeter le millet, l'oignon et le sel. Faire cuire à feu moyen trente minutes. Pendant ce temps, couper les légumes. Fermer le feu, ajouter les légumes, le Morga et assaisonner au gout. Laisser reposer au moins dix minutes afin que l'eau se soit entièrement retirée. Dans l'assiette, mettre 5ml ou 15ml (une cuillerée à thé ou à soupe) d'huile de tournesol. Le millet est une céréale peu connue. Riche en hydrates de carbone, elle contient une bonne proportion de protéines et de lipides. Selon la sorte de millet, la teneur en protéines varie entre 12,7% et 6,2%. Le millet contient aussi des vitamines du groupe B, telles que la thiamine, la riboflavine et la niacine. Il contient de plus du fer, du phosphore, du calcium, du magnésium, ainsi que plusieurs autres minéraux et oligo-éléments. Le millet constitue une excellente source de lécithine. On a donc avantage à consommer souvent cette précieuse céréale.

Pâté au brocoli

1 croûte de tarte de 23 cm (9 pouces)
500 ml de brocoli cuit coupé finement (2 tasses)
250 ml de carottes et de navet râpés crus (1 tasse)
250 ml de poivron finement coupé
1/4 ml de thym (1/8 de cuil. à thé) (facultatif)
1 ml d'origan (1/4 de cuil. à thé)
3 ml de sel de mer ou d'Herbamare (1/2 cuil.à thé)

Mélanger tous les légumes et les assaisonnements. Remplir la croûte de tarte et recouvrir d'une autre abaisse. Faire cuire au four à 225 C (450 F) pendant dix minutes et ensuite à 180 C (350 F) jusqu'à ce que la croûte soit dorée. Servir avec une sauce aux champignons ou une sauce au maïs. (Trois portions.)

Riz

250 ml de riz brun (1 tasse)
750 ml d'eau (3 tasses)
5 ml d'Herbamare (1 cuil. à thé)
5 ml de Morga
1 oignon

Amener l'eau à ébullition; y jeter le riz bien lavé, l'oignon et l'Herbamare. Faire cuire le riz à feu moyen pendant trente minutes. Retirer du feu. Ajouter le Morga et laisser reposer dix minutes. Dans votre assiette, vous pouvez ajouter 15ml d'huile de tournesol ou davantage, au goût. Ce plat est délicieux.

Minestrone

120 g de nouilles aux légumes (1/2 tasse) (facultatif)
250 ml de riz brun (1 tasse)
1500 ml d'eau bouillante (6 tasses)
5 ml d'oignon émincé (1 cuil. à thé) ou 1 petit oignon
30 ml de persil frais (2 cuil. à soupe)
5 ml de sel de mer
125 ml de sauce tomate (1/2 tasse)
250 ml de céleri coupé en dés
250 ml de carottes coupées en dés
125 ml de pois verts
15 ml de Morga (1 cuil. à soupe) (facultatif)

Faire cuire le riz et les nouilles à feu moyen pendant trente minutes. Après quoi, ajouter tous les autres ingrédients et laisser cuire environ dix minutes. Ajouter de l'eau si nécessaire. Les nouilles aux légumes sont en vente dans les magasins d'aliments naturels.

Trempette au fromage cottage et aux légumes

500 g de fromage cottage maigre (2 tasses)
75 ml d'huile de tournesol (1/3 de tasse)
3 échalottes (facultatif)
2 carottes râpées
4 radis
1/2 poivron vert coupé en lanières
3 ml d'Herbamare ou de sel marin (1/2 cuil. à thé)

Passer le tout au mélangeur rapide pour en faire une mixture lisse. Servir avec des bâtonnets de céleri, des têtes de brocoli, des rondelles de carottes, etc.

Tourte aux légumes

Dans un plat allant au four, mettre un rang de nouilles cuites. Verser 250 ml (1 tasse) de bouillon Morga, soit 5 ml (1 cuil. à thé) de Morga dilué dans 250 ml d'eau bouillante. Bien mélanger. On peut mettre seulement 125 ml de bouillon si on désire des nouilles moins cuites. Ajouter un rang de brocoli cru coupé en dés, un rang de céleri cru coupé en dés, un rang de poivron cru coupé en dés et recouvrir le tout de 500 ml (2 tasses) de carottes râpées. Cuire au four à 180 C (350 F) durant trente minutes.

Salade tonifiante

1 laitue au goût
1 poivron vert coupé en dés
1 concombre coupé en dés
1 tomate coupée en dés
15 ml de levure Bjast en flocons (1 cuil. à soupe)
30 ml d'huile de tournesol ou de safran (2 cuil. à soupe)
assaisonnements au goût: Herbamare ou sel végétal, sarriette, marjolaine, fenouil, persil.

Fruits frais en gelée

Faire un aspic à l'orange et y ajouter:

125 ml d'oranges coupées en dés (1/2 tasse)
125 ml de pamplemousse coupé en dés
125 ml d'ananas coupé en dés
125 ml de fraises coupées en dés

Verser dans des moules préalablement passés à l'eau froide et laisser figer. On peut ajouter des baies de son choix. Délicieux au petit déjeuner.

Sources de certaines vitamines et de certains minéraux

Les vitamines sont des substances organiques indispensables que notre organisme est incapable de synthétiser. Ce sont des régulateurs très précis du fonctionnement normal de l'organisme. Elles sont un des six éléments essentiels à une alimentation équilibrée. Elles sont nécessaires afin de favoriser une bonne utilisation des autres aliments. Leur absence ou leur insuffisance entraîne des maladies de carences qui peuvent s'avérer graves. Les vitamines proviennent en particulier des fruits et des légumes; on les trouve en plus grande quantité lorsque ceux-ci sont frais et crus. On en retrouve aussi dans les céréales et leurs dérivés, dans le foie de poisson (en particulier dans son huile), dans les abats de boucherie (les rognons, la cervelle, le foie), dans le lait, dans le beurre, le jaune d'oeuf et la levure. Malheureusement, à cause de la cuisson, de l'utilisation d'engrais chimiques, d'insecticides, de pesticides et de la conservation prolongée en entrepôt et sur les tablettes des épiceries, ces aliments ont perdu une grande partie de leur valeur nutritive lorsqu'ils arrivent dans notre assiette.

La vitamine A

Les principales sources de vitamine A sont par ordre d'importance:

1— le foie d'agneau;
2— le foie de boeuf;
3— le foie de veau;

4— les feuilles de pissenlit;
5— le foie de poulet;
6— les carottes;
7— les abricots séchés;
8— le chou rouge et le chou frisé;
9— la patate douce, dite «sucrée»;
10— le persil;
11— les épinards;
12— les feuilles de navet.

Les vitamines B

Les vitamines du groupe B constituent une famille dont chaque membre est désigné par un chiffre suivant la lettre B. Elles exercent entre elles un rôle complémentaire. L'ensemble de ces vitamines est désigné sous l'appellation de B composé. Les vitamines du groupe B sont de première importance pour la santé. Elles préviennent le béribéri, la paralysie, l'arrêt de la croissance, les éruptions cutanées, les troubles du système nerveux, l'insomnie, l'irritabilité, les dépressions, l'alcoolisme, etc... Les vitamines du groupe B sont reliées à la normalité de la flore intestinale. Un dérèglement de cette dernière à cause de l'absorption d'antibiotiques risque d'entraîner des carences de vitamines B.

Les principales sources de vitamine B1 (thiamine ou aneurine) sont, en par ordre d'importance:
1— la levure de bière;
2— le riz brun;
3— le germe de blé;
4— les graines de tournesol;
5— la polissure de riz;
6— les pignons ou graines de la pomme de pin;
7— les arachides avec leur peau;
8— les fèves soya séchées;
9— les arachides sans leur peau;

10— les noix du Brésil;
11— les pacanes;
12— la farine de soya.

Les principales sources de vitamine B2 (riboflavine) sont, en ordre d'importance:

1— la levure de bière;
2— le foie d'agneau;
3— le foie de boeuf;
4— le foie de porc;
5— le foie de veau;
6— les rognons de boeuf;
7— le foie de poulet;
8— les rognons d'agneau;
9— les amandes;
10— le germe de blé;
11— le riz sauvage;
12— les champignons.

Les principales sources de vitamine B3 (niacine) sont, en ordre d'importance:

1— la levure Bjast;
2— la levure de bière;
3— le son de riz;
4— la polissure de riz;
5— le son de blé;
6— les arachides avec leur peau;
7— le foie d'agneau;
8— le foie de porc;
9— les arachides sans leur peau;
10— le foie de boeuf;
11— le foie de veau;
12— le foie de poulet.

Les principales sources de vitamine B4 (adenine) sont, en ordre d'importance:

1— la laitance de poisson;
2— le ris de veau;
3— les légumes crus.

Les principales sources de vitamine B 5 (acide pantothenique) sont, en ordre d'importance:
1— la levure de bière;
2— le foie de veau;
3— le foie de poulet;
4— les rognons de boeuf;
5— les arachides;
6— les champignons;
7— la farine de soya;
8— les pois coupés;
9 — la langue de boeuf;
10— la perche;
11— les pacanes;
12— les fèves de soya.

Les principales sources de vitamine B6 (pyridoxine) sont, en ordre d'importance:
1— la levure de bière;
2— la levure Bjast;
3— les graines de tournesol;
4— le germe de blé grillé;
5— la chair du thon;
6— le foie de boeuf;
7— les fèves de soya;
8— le foie de poulet;
9— les amandes;
10— la chair du saumon;
11— la chair de la truite;
12— le foie de veau.

Les principales sources de vitamine B12 (cobalamine) sont, en ordre d'importance:

1— le foie d'agneau;
2— les pétoncles;
3— le foie de boeuf;
4— le foie de veau;
5— les rognons de boeuf;
6— le foie de poulet;
7— les huîtres;
8— les sardines;
9— le jaune d'oeuf;
10— la chair de la truite;
11— la chair du saumon;
12— la chair du thon.

La vitamine C

Nous avons un besoin constant de vitamine C. L'organisme ne peut l'emmagasiner et est incapable de la synthétiser. Elle joue un rôle important dans la formation des os, des dents et des vaisseaux sanguins. Elle permet l'assimilation du fer par l'organisme; elle permet aussi d'emmagasiner le calcium et le phosphore dans les tissus osseux. La vitamine C soulage de plus les infections, en permettant l'élimination des matières toxiques. Elle prévient également les rhumes, les grippes et le scorbut. Les fumeurs ont avantage à consommer beaucoup de vitamine C, car chaque cigarette brûle au moins 25 mg de cette précieuse vitamine.

Les principales sources de vitamine C (acide ascorbique) sont, en ordre d'importance:
1— le jus d'acerola (cerise);
2— la cerise acerola;
3— la goyave commune;
4— le poivron rouge doux;
5— les mûres;
6— le chou frisé en feuilles;
7— le persil;

8— le navet et ses feuilles;
9— les épinards moutarde;
10— le poivron vert doux;
11— le brocoli;
12— les choux de Bruxelles.

Les principales sources de vitamine D sont, en ordre d'importance:
1— les sardines en conserve;
2— la chair du saumon;
3— la chair du thon;
4— les crevettes;
5— le beurre;
6— les légumes verts.

La vitamine E

Les principales sources de vitamine E sont, en ordre d'importance:
1— l'huile de germe de blé;
2— les graines de tournesol;
3— l'huile de tournesol;
4— l'huile de safran;
5— les amandes;
6— l'huile de sésame;
7— l'huile de pistaches ou d'arachides;
8— l'huile de maïs;
9— l'huile de soya;
10— les arachides rôties;
11— le germe de blé;
12— les arachides.

La vitamine K

Les principales sources de vitamine K sont, en ordre d'importance:
1— les feuilles de navet;
2— le brocoli;

3— la laitue;
4— le chou;
5— le foie de boeuf;
6— les épinards;
7— le cresson;
8— les asperges;
9— le fromage;
10— le beurre.

Les minéraux

Les minéraux sont des substances inorganiques que notre organisme est incapable de synthétiser. Ce sont des éléments indispensables à la constitution de certains tissus et au fonctionnement de l'organisme. Les minéraux sont l'un des six éléments essentiels à une alimentation équilibrée.

Les principales sources de calcium sont, en ordre d'importance:
1— le varech;
2— le fromage suisse;
3— le fromage cheddar;
4— la poudre de caroube;
5— les feuilles de navet;
6— la mélasse des Barbades;
7— les amandes;
8— la levure de bière.

Les principales sources de magnésium sont, en ordre d'importance:
1— le varech;
2— le son de blé;
3— le germe de blé;
4— les amandes;
5— les noix d'acajou;
6— la mélasse noire;

7— la levure de bière;
8— le sarrasin.

Les principales sources de phosphore sont, en ordre d'importance:
1— la levure de bière;
2— le son de blé;
3— les graines de citrouille et de courge;
4— le germe de blé;
5— les graines de tournesol;
6— les noix du Brésil;
7— les graines de sésame décortiquées;
8— les fèves de soya séchées.

Les principales sources de potassium sont, en ordre d'importance:
1— le dulse (une sorte d'algue);
2— le varech;
3— les graines de tournesol;
4— le germe de blé;
5— les amandes;
6— les raisins secs;
7— le persil;
8— les noix du Brésil.

Les principales sources de sodium sont, en ordre d'importance:
1— le varech;
2— les olives vertes;
3— les marinades à l'aneth;
4— les olives mûres;
5— la choucroute;
6— le fromage cheddar;
7— les pétoncles;
8— le fromage cottage ou à la pie.

Les oligo-éléments

Les oligo-éléments sont des minéraux que l'on retrouve en infimes quantités dans les tissus corporels et dont la présence est essentielle au bon fonctionnement de l'organisme. Les oligo-éléments regroupent le fer, le cuivre, le fluor, l'iode, le manganèse, le silicium, le sélénium, le zinc, le cobalt, etc...

Les principales sources de fer sont, en ordre d'importance:
1— le varech;
2— la levure de bière;
3— la mélasse noire;
4— le son de blé;
5— les graines de citrouille ou de courge;
6— le germe de blé;
7— le foie de boeuf;
8— les graines de tournesol.

Les principales sources de fluor sont, en ordre d'importance:
1— la laitue;
2— le chou;
3— les radis;
4— le blanc d'oeuf;
5— la betterave.

Les principales sources d'iode sont, en ordre d'importance:
1— les palourdes;
2— les crevettes;
3— les huîtres;
4— le saumon;
5— les sardines;
6— le foie de boeuf;
7— les ananas;

8— le thon.

Les principales sources de manganèse sont, en ordre d'importance:
1— les pacanes;
2— les noix du Brésil;
3— les amandes;
4— l'orge;
5— le seigle;
6— le sarrasin;
7— les pois cassés;
8— le blé entier.

Les principales sources de sélénium sont, en ordre d'importance:
1— le beurre;
2— le hareng fumé;
3— les éperlans;
4— le germe de blé;
5— les noix du Brésil;
6— le vinaigre de cidre de pomme;
7— les coquilles Saint-Jacques préparées avec des pétoncles;
8— l'orge.

Les principales sources de zinc sont, en ordre d'importance:
1— les huîtres;
2— les racines de gingembre;
3— le bifteck haché;
4— les pacanes;
5— les pois coupés séchés;
6— les noix du Brésil;
7— le foie de boeuf;
8— le lait en poudre maigre.

Valeur calorique des aliments

30 ml équivalent à une once impériale liquide
27 g équivalent à une once impériale sèche

Abricot (moyen)	19 calories
Ananas (140 g)	73 calories
Artichaut (100 g)	45 calories
Asperges (1 tige)	5 calories
Avocat (gros)	361 calories
Banane (150 g)	128 calories
Beurre (1 cuil. à soupe)	100 calories
Beurre d'arachides (1 cuil. à soupe)	85 calories
Betterave (165 g)	53 calories
Blé (1 épi)	90 calories
Bleuets (140 g)	87 calories
Brocoli (150 g)	39 calories
Cantaloup (moyen)	123 calories
Carotte cuite (150 g)	48 calories
Carotte crue (75 g)	31 calories
Céleri cuit (100 g)	15 calories
Céleri cru (1 tige)	5 calories
Cerises (200 g)	140 calories
Champignons (240 g)	41 calories
Chou de Bruxelles (130 g)	51 calories
Chou cru vert ou rouge (105 g)	24 calories
Chou-fleur (100 g)	29 calories
Concombre (1 tranche)	1 calorie
Croustilles (40 g)	224 calories
Fèves blanches (260 g)	233 calories
Fèves jaunes (100 g)	23 calories
Fèves de Lima (192 g)	266 calories
Fèves rognons rouges (260 g)	233 calories

Fèves vertes (135 g)	31 calories
Fèves de soya (200 g)	264 calories
Fraises surgelées (227 g)	247 calories
Fraises fraîches (149 g)	55 calories
Framboises surgelées (200 g)	196 calories
Framboises fraîches (133 g)	76 calories
Frites (20)	286 calories
Lait entier (250 ml)	159 calories
Laitue (1 feuille)	4 calories
Laitue (250 g)	13 calories
Lentilles cuites (200 g)	212 calories
Macédoine (234 g)	150 calories
Maïs (200 g)	165 calories
Mûres (135 g)	84 calories
Navet (155 g)	102 calories
Nectarine (moyenne)	50 calories
Oeuf moyen poché	70 calories
Jaune de l'oeuf	58 calories
Oignon cuit (210 g)	50 calories
Olive mûre (grosse)	13 calories
Orange (moyenne)	88 calories
Pain blanc (1 tranche)	62 calories
Pain de blé entier (1 tranche)	55 calories
Pain de seigle (1 tranche)	56 calories
Pamplemousse (moyen)	108 calories
Papaye (400 g)	156 calories
Pastèque (210 g)	56 calories
Pêche (moyenne)	43 calories
Persil (56 g)	25 calories
Pizza (1/8 de 14 pouces de diamètre)	177 calories
Poire (moyenne)	111 calories
Pois cuits (100 g)	71 calories
Pomme (moyenne)	76 calories
Pomme de terre au four moyenne	93 calories
Pomme de terre bouillie (250 ml)	183 calories
Prune (moyenne)	29 calories
Pruneau (gros)	26 calories
Radis (petit)	2 calories
Raisins (160 g)	100 à 106 calories

Riz blanc cuit (250 ml)	221 calories
Riz brun cuit (250 ml)	209 calories
Rutabaga (150 g)	68 calories
Tangerine (114 g)	52 calories
Tomate (moyenne)	33 calories

Les soupes

Asperges (1 tasse) 250 ml	70 calories, faite à l'eau
Asperges 250 ml	157 calories, faite au lait
Carottes 250 ml	80 calories, faite à l'eau
Carottes 250 ml	150 calories, faite au lait
Céleri 250 ml	92 calories, faite à l'eau
Céleri 250 ml	172 calories. faite au lait
Champignons 250 ml	143 calories, faite à l'eau
Champignons 250 ml	261 calories, faite au lait
Légumes 250 ml	80 calories, faite à l'eau
Pommes de terre 250 ml	115 calories, faite à l'eau
Pois 250 ml	148 calories, faite à l 'eau
Tomates 250 ml	86 calories, faite à l'eau
Tomates 250 ml	169 calories, faite à l'eau

Un cube de bouillon de légumes de 2 g donne 3 calories.

Les jus

Carotte 250 ml	donnent 118 calories
Légumes 250 ml	41 calories
Orange 250 ml	113 calories
Pêche 250 ml	75 calories
Pomme 250 ml	118 calories

Le vin

Rouge, blanc ou rosé 250 ml donnent	204 calories
Amandes 140 g	837 calories
Fromage 100 g	300 calories
Graines de sésame 50 g	309 calories
Graines de tournesol 100 g	560 calories
Noix d'acajou 100 g	569 calories
Noix du Brésil 300 g	1938 calories
Noix de Grenoble 100 g	651 calories

Noix mélangées 200 g	1252 calories
Pacanes crues 104 g	715 calories
Pistaches salées 240 g	1415 calories
Tofu nature 227 g	147 calories

La mayonnaise

15 g (1 cuil. à soupe) donnent	108 calories

Les huiles

Olive 15 g donnent	126 calories
Safran 15 g	126 calories
Tournesol 15 g	126 calories

Les poissons

453 g de chacune des espèces suivantes équivaut à:

Aiglefin	717 calories
Alose	879 calories
Brochet grillé	372 calories
Crabe	398 calories
Crevettes rôties	989 calories
Cuisses de grenouilles	1230 calories
Espadon grillé	764 calories
Flétan	752 calories
Hareng	717 calories
Homard à la vapeur (200 g)	179 calories
Huîtres cuites (240 g)	561 calories
Huîtres crues (240 g)	152 calories
Morue	740 calories
Palourdes	224 calories
Perche frite commune	756 calories
Perche océan frite	1021 calories
Perche jaune grillée	389 calories
Perche blanche rôtie	629 calories
Pétoncles frites	875 calories
Sardines en conserve	1373 calories
Saumon fumé	987 calories
Saumon grillé au four	785 calories
Thon en conserve	853 calories
Truite grillée au four	429 calories

Les viandes

Boeuf et agneau (453g)	
Bifteck de ronde	800 calories
Boeuf aux légumes	416 calories
Chili con carne aux fèves	666 calories
Côtelette d'agneau grillée au four	1056 calories
Foie d'agneau rôti	1008 calories
Foie de boeuf rôti	850 calories
Hamburger maigre	955 calories
Rognons de boeuf	1028 calories
Rôti de boeuf	910 calories
Surlonge ou T-Bone	1150 calories
Porc (453 g)	
Bacon	2697 calories
Côtelette	1406 calories
Jambon	1096 calories
Rôti	1308 calories
Veau (453 g)	
Côtelette grillée au four	1016 calories
Foie de veau frit	1083 calories
Rôti	1026 calories
Volaille (453 g)	
Canard	1230 calories
Dinde rôtie	1171 calories
Oie	1326 calories
Poulet grillé sans la peau	581 calories
Poulet rôti	806 calories
Poulet à la King	855 calories

Citations pour rire, réfléchir et agir

Un sage disait: «Il vaut mieux donner de la vie à ses années que des années à sa vie.»

«Ce n'est qu'après avoir appris à vivre selon les lois de la physiologie et de la biologie que nous pourrons transformer en un chant de bonheur les gémissements de douleur et de désespoir qui montent aujourd'hui de la terre.»

— *Herbert M. Shelton*

«Toutes les maladies sont le résultat de l'intoxication de l'organisme par une alimentation fautive.»

— *Marcel Chaput*, N.D. «L'Ecole de la santé».

«Le médecin est l'homme que l'on paie pour conter des fariboles dans la chambre du malade jusqu'à ce que la nature l'ait guéri ou que le remède l'ait tué.»

— *Molière*

«Le bonheur consiste à ne souffrir ni du corps ni de l'esprit.»

— *J.J. Rousseau*

«La moitié de ce que vous mangez vous garde en vie et l'autre moitié vous tue.»

— *Anonyme.*

«Toute stratégie de traitement qui ne considère pas l'homme comme un tout, et la maladie comme le résultat des stress et des charges imposés par le milieu, est vouée à l'échec.»

— *Bethume*

«La santé est un état de complet bien-être physique, mental et social, et non seulement l'absence de maladie ou de toute affection.»

— *Définition de la santé de l'Organisation mondiale de la santé.*

«Croyez-moi: il vaut mieux abandonner remèdes et médicantres, ils ne servent qu'à faire du mal.»
— *Napoléon* à Ste-Hélène.

«A quoi attribuez-vous votre âge avancé?», demandait-on à Jean qui fêtait ses quatre-vingt-douze ans. «Aux médecins, aux médecins», répéta le vieillard. «Oui, je ne les vois jamais!»

«Le chirurgien coupe le résultat d'une vie déréglée.»
— *H.M. Shelton*

«L'homme est le seul des animaux qui pratique le suicide prémédité par auto-intoxication, en détériorant sa nourriture avant de l'absorber.»
— *Dr Kellogg*

«Tout homme qui sait lire a le pouvoir de se dépasser, de multiplier les moyens par lesquels il existe, de faire en sorte que sa vie soit pleine de significations et d'intérêts.»
— *Aldous Huxley*

«Ce n'est pas à la vie qu'il faut attacher de l'importance mais à la qualité de la vie.»
— *Socrate*

«La nourriture ne produit tout son effet que dans sa relation physiologique avec l'eau, l'exercice, le repos, le sommeil et les autres éléments du système hygiéniste. L'efficacité des moyens hygiénistes ne se manifeste pas dans le traitement d'un organe seulement, mais elle se reconnaît aux bienfaits que ces moyens assurent à tout l'organisme. Ainsi, l'utilité de la nourriture vaut pour le corps entier et non pour un membre en particulier.»
- *H.M. Shelton*

«Il faut de vingt à trente heures aux résidus de l'alimentation pour parcourir le gros intestin qui ne mesure qu'environ cinq pieds.»
- *Marcel Chaput*, n.d.

Avant de terminer ce livre, je veux vous apporter quelques témoignages de personnes qui furent guéries ou dont l'état de santé s'améliora grandement grâce aux méthodes naturelles de santé.

«C'était en 1972. J'avais trente-sept ans. Je souffrais depuis longtemps d'asthme,de bronchite et d'emphysème. J'étais alors curé aux Iles-de-la-Madeleine. Sur les conseils du médecin, je partis vivre dans un pays chaud, en Haïti. Ma santé ne s'améliora pas davantage. Je me faisais traiter selon les méthodes conventionnelles de médecine et la maladie s'aggravait. On m'avait même dit que je n'avais plus que quelques mois à vivre et qu'on ne pouvait plus rien pour moi. On me traitait alors à la cortisone et je séjournais sous la tente à oxygène à tout moment. Je correspondais toujours avec mon ami Gilles Bordeleau, naturopathe lavallois, qui me donnait des conseils et m'envoyait des suppléments alimentaires. Mais se faire soigner à distance n'est pas l'idéal. Sur son invitation, je suis venu chez lui pour y faire une cure qui dura environ quarante jours. Je pesais à peine cent livres. Je mesure six pieds. C'est vous dire que je n'en menais pas large. Par les bons soins prodigués par Gilles et Lucile Bordeleau, grâce à une cure de jus de fruits et de légumes et à des suppléments vitaminiques, j'ai recouvré la santé. Depuis 1974 je fais mon ministère au Mexique. Je m'occupe d'un orphelinat de trente enfants et je suis en pleine forme. Gros merci à Gilles Bordeleau qui m'a fait connaître les méthodes naturelles de santé. Depuis j'ai étudié la naturopathie et suis devenu naturopathe.»

Maurice Roy, prêtre Voluntas Dei.
Empalme, Mexico.

«J'avais de terribles maux d'estomac, j'avais toujours de la difficulté avec ma digestion. Bref, j'étais malheureuse. Jusqu'au jour où je fis la connaissance du Dr Gilles Bordeleau, naturopathe. Il m'a enseigné les combinaisons alimentaires que je pratique depuis et mes maux ont disparu.»

Mme H. Legault,
St-Sauveur.

«Je souffrais d'arthrose depuis de nombreuses années. J'avais des brûlements d'estomac, je faisais des diverticulites. Je passais presque toutes mes journées alitées. De plus, je faisais une grosse grippe presque tous les deux mois. Je ne pouvais dormir sans l'aide de produits chimiques. Je consultais le médecin mais cela ne donnait aucun résultat. Au contraire, mon mal s'aggravait. Je décidai d'essayer les méthodes naturelles. Je suis allée faire un jeûne à la clinique du Dr Gilles Bordeleau en 1981. J'y ai passé un mois. Ma santé s'est améliorée à quatre-vingt dix pour cent. Je n'ai plus jamais souffert de diverticulites, mes maux d'estomac ont disparus, ainsi que mes nombreuses grippes. Je dors parfaitement et mon arthrose me fait beaucoup moins souffrir. J'ai maintenant soixante ans. Depuis ma cure, je voyage beaucoup et je trouve la vie plus intéressante. Evidemment, j'essaie de suivre le mieux possible les conseils du docteur Gilles Bordeleau et tout va bien. J'ai déjà pris jusqu'à vingt-six pilules chimiques par jour et aujourd'hui, je n'en prends plus une seule. N'est-ce pas incroyable?»

Thérèse Deschatelets,
Noranda.